Byron Barton
Auf dem Bauplatz ist was los

© 1988 ars edition · Alle Rechte vorbehalten
Deutsch von Friedrich Langreuter
Texte und Bilder nach der amerikanischen
Originalausgabe »Machines At Work«
erschienen bei Thomas Y. Crowell, New York
© 1987 Byron Barton
Printed and bound in Italy by L.E.G.O., Vicenza, Italy
ISBN 3-7607-7624-8

ars edition

Helm

Guten Morgen, Leute.

Muldenkipper

Frontlader

Baukran

Planierraupe

Die Arbeit wartet. Packen wir's an.

Raupenkran

Ausleger

Rammbirne

Wummert dieses Haus zu Boden.

Planierraupe

Planierschild
und Bodenhobel

Reißt den Baum heraus.

Preßlufthammer

Vorschlaghammer

Spitzhacke

Grabt die Straße auf.

Ladeschaufel

Muldenkipper

Frontlader

Beladet den Lastwagen.

Kipper

Kippt den Schutt hinunter.

Brotzeit

Jetzt gibt's Mittagessen.

Löffelbagger

Aber nun: Grabt das Loch.

Betonmischer

Mischtrommel

Mischt den Zement.

Träger

Fundament

Hoch mit dem Träger.

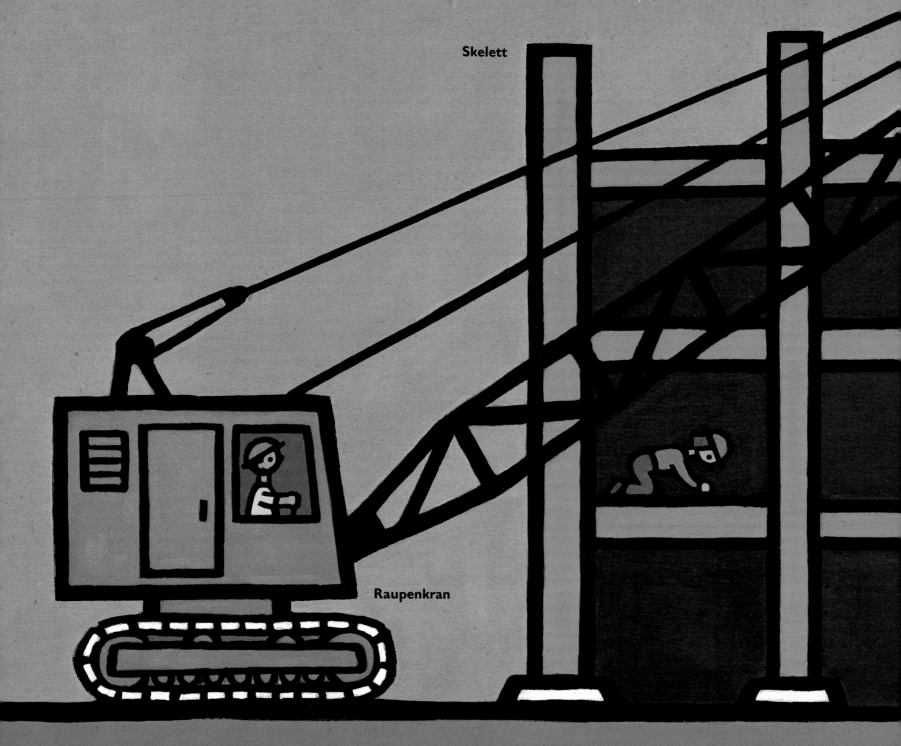

Skelett

Raupenkran

aut das Haus.

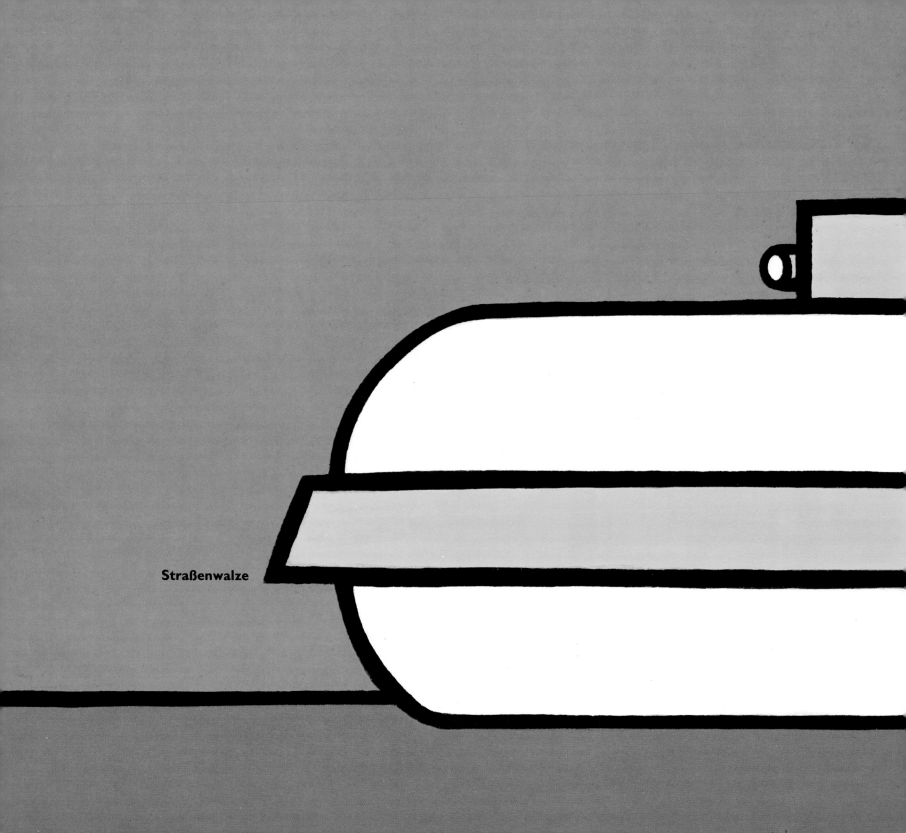

Straßenwalze

Walzt die Straße.

Raupenkran

Straßenwalze

In Ordnung.

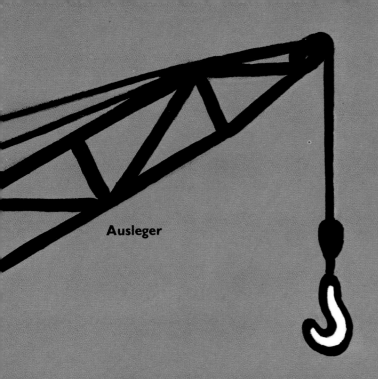

Ausleger

Betonmischer

Löffelbagger

Stoppt die Maschinen. Feierabend.

Schluß für heute.

Morgen gibt es mehr zu tun.